エッセンシャル・ジャズ・ライン

クリフォード・ブラウン・スタイルの探究
B♭（トランペット）

JN122201

Essential Jazz Lines
in the Style of clifford brOwn

コーリー・クリスチャンセン 著

キム・ボック 演奏

ATN, inc.

もくじ

	CDトラック	ページ
チューニング・ノート		1
日本語版に寄せて		4
クリフォード・ブラウンについて		5
クリフォード・ブラウンとチャーリー・パーカー		5
ガイド・トーン		6
ビバップ・スケール		7
3rd から♭9th へ		11
コードのアッパー・ストラクチャー		12
ターゲッティング		13
オーグメント・ドミナント		14
クリフォード・ブラウン・スタイル		15
マイナー・コードのアイディア		17
マイナー・コード・ヴァンプ	2	20
4度で移動するマイナー・コードのラインの練習	3	20
ドミナント 7th コード（V）のアイディア		21
ドミナント 7th ヴァンプ	4	24
4度で移動するドミナント 7th コードのラインの練習	5	24
1 小節の ii -V（ショート ii -V）のアイディア		25
ショート ii -V ヴァンプ	6	28
4度で移動するショート ii -V ラインの練習	7	28
2 小節の ii -V（ロング ii -V）のアイディア		29
ロング ii -V ヴァンプ	8	33
4度で移動するロング ii -V ラインの練習	9	33

	CDトラック	ページ

メジャー・コード（I）のアイディア 34

    メジャー・ヴァンプ 10 37

    4度で移動するメジャー・コードのラインの練習 11 37

マイナー ii-Vのアイディア 38

    マイナー ii-V ヴァンプ 12 41

    4度で移動するマイナー ii-V のラインの練習 13 41

    ショート ii-V-I ヴァンプ 14 42

    4度で移動するショート ii-V-I ラインの練習 15 42

    ロング ii-V-I ヴァンプ 16 43

    4度で移動するロング ii-V-I ラインの練習 17 43

    マイナー ii-V-i ヴァンプ 18 45

    4度で移動するマイナー ii-V-i ラインの練習 19 45

ターンアラウンド 46

    ターンアラウンド・ヴァンプ 20 47

    4度で移動するターンアラウンドのラインの練習 21 47

ソロを創る 48

    Pent Up House タイプのプログレッションを使用したエチュード 22, 23 48

    Confirmation タイプのプログレッションを使用したエチュード 24, 25 49

    C 12-Bar Blues 26 50

    Solar タイプのプログレッション 27 50

ディスコグラフィ 51

おわりに 52

著者について 53

4

日本語版に寄せて

エッセンシャル・ジャズ・ライン　**スタイルの探究** シリーズは、複数の偉大なジャズ・ミュージシャンの膨大な音楽的テクニックと実際のフレーズを、学習者に提供するものです。各教本には、伴奏用CDが付属しており、本に掲載された多彩なアイディアが、実際にバンドの中でどのようにサウンドするかを確認できます。このシリーズを学んで実践することによって、さまざまなアーティストのジャズ言語をマスターするばかりか、自分自身のサウンドを発展させることもできます。

幸運を祈ります。このすばらしい音楽を練習し、マスターすることを楽しみましょう。

コーリー・クリスチャンセン

クリフォード・ブラウンについて

クリフォード・ブラウン（1930 ～ 1956）は、1950 年代における最も卓越したトランペット・プレイヤーの 1 人であり、彼の功績は今もなお演奏する楽器を問わず、多くのジャズ・ミュージシャンに多大な影響を与え続けています。

彼のミュージシャンとしてのキャリアは短かったにも関わらず、彗星のごとく登場するやいなや爆発的な勢いでジャズ界における評価を不動のものとしました。ダッド・ダメロンやアート・ブレイキーなど、1950 年代を代表する数多くのミュージシャンと共演し、さらには 1953 年のライオネル・ハンプトンとのヨーロッパ・ツアーによってクリフォード・ブラウンの名は世界中に知られることとなりました。そして 1954 年、傑出したドラマーとして知られるマックス・ローチと Brown - Roach Quintet という双頭コンボを結成し活動を始めますが、わずか 2 年後の 1956 年に不慮の事故で亡くなってしまいます。クリフォード・ブラウンの他に類を見ない卓越した演奏能力がまさに開花したといえるこのバンドは、当時最も影響力のあったハード・バップ・コンボの 1 つでした。

クリフォード・ブラウンの演奏スタイルは 1940 年代にチャーリー・パーカーやディジー・ガレスピーが創り出したビバップ言語に根ざしたもので、明らかにこの 2 人から強い影響を受けています。さらにもう 1 つスタイル的に大事な要素として、クリフォード・ブラウンが崇拝し、また彼の助言者でもあったファッツ・ナヴァロ（やはりすばらしいトランペット奏者でしたが、彼も 1950 年に 27 歳の若さで亡くなっています）からの影響があります。

本書では、クリフォード・ブラウンがソロで用いたテクニックと同様に、さまざまなコードやコード・プログレッションの上で実際に彼が使ったライン（フレーズ）を多数提示しています。メジャーおよびマイナーの ii-V-I プログレッションはジャズ・スタンダードにおいて最もよく使われるコード・プログレッションで、本書に収録されているラインをさまざまなスタンダードのコード・プログレッションに当てはめて演奏することもできるでしょう。そのために本書の付属 CD には多くのプレイ・アロング・トラック（1 つのコードまたはコード・プログレッションだけをくり返すトラックと、サークル・オブ 4th でキーが移調していくトラック）が収録されており、まず 1 つのキーで練習してから 12 キーすべてをマスターするための練習ができるようになっています。

クリフォード・ブラウンはその非凡な才能によって、ビバップ・イディオム（語法）によるすばらしく発展的なラインと、それらを豊かでダイナミックで、常にスウィングするトーンで演奏するということに首尾一貫していました。クリフォード・ブラウンのような偉大なプレイヤーのヴォキャブラリーとスタイル的な特徴の両方を学ぶことは、インプロヴィゼイションに役立つ音楽的アイディアや表現力に富む手段を身につけることでしょう。本書を楽しんで学習し、あなたのインプロヴィゼイションに役立てましょう。

クリフォード・ブラウンとチャーリー・パーカー

本書に収録されている各チャプターのガイド・トーン／ビバップ・スケール／3rd から♭9th へ／アッパー・ストラクチャー／ターゲッティング／オーグメント・ドミナント／クリフォード・ブラウン・スタイルの各アイディアの内容は、クリフォード・ブラウンの音楽を理解するために非常に有効です。さらに彼がチャーリー・パーカーからどのような影響を受けているのかも理解できるでしょう（ガイド・トーン／ビバップ・スケール／3rd から♭9th へ／アッパー・ストラクチャー／ターゲッティングの各チャプターは、本シリーズの**チャーリー・パーカー・スタイルの探究**にも収録されている）。ビバップ・プレイヤーが用いる音楽言語の基礎を身につけるためには、各チャプターにおいて提示されている内容をしっかりと理解することが重要です。そしてクリフォード・ブラウンのソロを聴き、ラインを学びましょう。それによって、本書に提示される各要素やテクニックが実際の演奏でどのように使われているのかを認識できます。

ガイド・トーン

ガイド・トーンとは、次のコードに向かって導くようにハーモニーに動きを与える音で、通常コード・トーンの 3rd と 7th の音がそれにあたります。シンプルな ii-V-I プログレッションを例に、ガイド・トーンがどう動いているのかを見てみましょう。ii-V の部分では、Dm7 コードの 7th である C 音が G7 コードの 3rd の音である B 音にハーフ・ステップ（半音）で動いています。Dm7 コードの 3rd である F 音は G7 コードの 7th の音として残ります（下の譜例では F 音は 1 オクターヴ下がる）。G7 コードの 2 つのガイド・トーンである B 音（3rd）と F 音（7th）の間のインターヴァルはトライトーン（3 全音）になっています。このインターヴァルは強い不安定感を生み出すため、解決（安定）に向かって自然に動いていく傾向があります。ドミナント V コード（G7）がトニック I コード（CMaj7）に動くことによって解決するのです。V-I の部分でも同様に、G7 コードの 7th である F 音が CMaj7 コードの 3rd の音である E 音にやはりハーフ・ステップで動き、G7 コードの 3rd の音である B 音は CMaj7 コードの 7th として残っています。

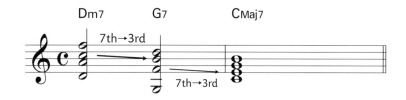

ii-V-I プログレッションでソロをとる時に、よくガイド・トーンを使います。ガイド・トーンを使うことにより、ソロイストはそのコード・プログレッションが生み出すハーモニーの動きを強調することができます。以下の例は、ii-V-I プログレッションにおける典型的なラインです。

ビバップ・スケール

ビバップ・スケールは、通常の7音スケールに半音のパッシング・トーンを加えた8音スケールで、8分音符でスケールを演奏した時に、コード・トーン（通常はスケールの1st, 3rd, 5th, 7thの音）をダウン・ビート（強拍）でプレイすることを可能にします。このテクニックは広くジャズ・ミュージシャンに使われています。基本的に3種類のビバップ・スケールがあります。ミクソリディアン（ドミナント7th）・ビバップ・スケールは主にドミナント7thコードに、メジャー・ビバップ・スケールはメジャー・コードかメジャー7thコードに対して、マイナー・ビバップ・スケールは主にマイナー・コードに、それぞれ使われます。通常スケールは7音スケールですが、これらのビバップ・スケールはすべて8音スケールです。

ミクソリディアン・ビバップ・スケールは、通常のミクソリディアン・モードの♭7thとオクターヴ上のルートの間にもう1つ音を加えたものです。以下はGミクソリディアン・ビバップ・スケールです。

ミクソリディアン・ビバップ・スケール
ドミナント7thコード上で使用する

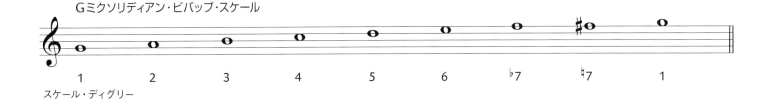

プレイヤーがダウン・ビート（強拍）上のコード・トーンからこのスケールを演奏し始めると、ドミナント7thコードの各コード・トーンはダウン・ビート（強拍）にきます。つまり、ビバップ・スケールが8音スケールなので、8分音符でこのスケールをプレイするとちょうど4分音符4拍分の長さに収まるということです。

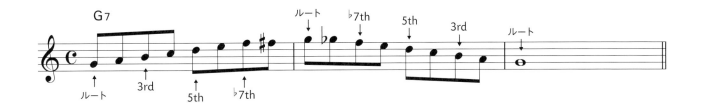

以下は、ドミナント7thコードの上でインプロヴァイズした時に、どのようにこのスケールを使うのかを示した例です。

ミクソリディアン・ビバップ・スケールを ii マイナー・コードの上で使う

ii - V プログレッションの上で演奏する時に、ミクソリディアン・ビバップ・スケールは、V コード（ドミナント）に対しては完璧に機能します。しかも、V コードと ii マイナー・コード、それぞれのコード・スケールはまったく同じ構成音からできています。C キーの場合（Dm7 - G7）、各コードのコード・スケール、D ドリアンと G ミクソリディアンはともにまったく同じ 7 音から構成されています。

ミクソリディアン・ビバップ・スケールを V コードの時と同様に、ii マイナー・コードに使うこともよくあります（チャーリー・パーカーはこの方法をよく使いました。詳しくは **チャーリー・パーカー・スタイルの探究 B♭ インストゥルメンツ** p.7 を参照）。ii - V プログレッションを 2 つの別々なコードとしてではなく、ミクソリディアン・ビバップ・スケールを使うことができる、ひとかたまりのハーモニーとしてとらえているのです。

ミクソリディアン・ビバップ・スケールを ii マイナー・コードの上で使うと、強拍には 2 つのコード・トーンしかこないということに注意しましょう。それでも演奏上問題はありません。そのサウンドは、V コードのハーモニック・アンティシペーション（あるコード・サウンドが本来のタイミングより早く始まること）と解釈できます。以下の 2 つの例は、ミクソリディアン・ビバップ・スケールを ii - V プログレッションの上でどのように使うのかを示したものです。

メジャー・ビバップ・スケール
メジャー 7th（6th）コード上で使用する

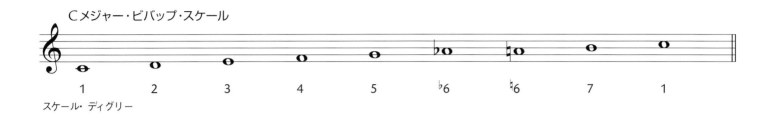

C メジャー・ビバップ・スケール

| 1 | 2 | 3 | 4 | 5 | ♭6 | ♮6 | 7 | 1 |

スケール・ディグリー

他のビバップ・スケールと同様に、メジャー・ビバップ・スケールもまた 8 音構成のスケールで、 8 分音符で演奏すると 4 分音符 4 拍分の長さです。もしコード・トーンからこのスケールを 8 分音符で演奏し始めると、ダウン・ビートに各コード・トーンがくることになります。以下は C メジャー・ビバップ・スケールと、それが実際にどう使われるのかを示した例です。

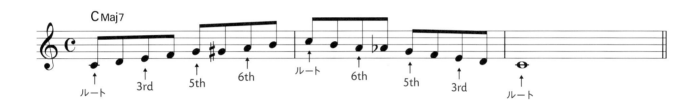

マイナー・ビバップ・スケール
マイナー7th コード上で使用する

前ページで説明したように、ミクソリディアン・ビバップ・スケールは、ii - V プログレッションの ii マイナー・コードと V コードの両方に使われることがありますが、ii マイナー・コードに対してマイナー・ビバップ・スケールを使うこともできます。

マイナー・ビバップ・スケールは、ドリアン・モードの♭7th とルートの間にもうひとつ音が増えたもので、以下は D マイナー・ビバップ・スケールです。

D マイナー・ビバップ・スケール

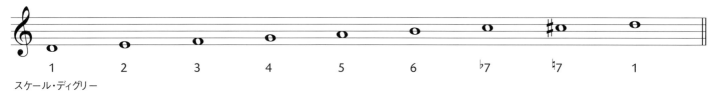

マイナー・ビバップ・スケールも 8 音スケールなので、8 分音符で演奏すると 4 分音符 4 拍分の長さが必要になります。以下はこのスケールを、マイナー7th コードに対してどのように使うのかを示した例です。

マイナー・ビバップ・スケールでは各コード・トーンがダウン・ビートにあるため、プレイヤーが 8 分音符で演奏すると、どのコード・トーンからスタートしても（上行しても下行しても）、常に強拍にコード・トーンがきます。このスケールを各コード・トーンから（上行と下行ともに）練習しましょう。

3rd から♭9th へ

3rd から♭9th へという動きはビバップ・プレイヤーがドミナント 7th コードの上でよく使ったテクニックです。それはとても特徴的なビバップ的語法です。C メジャー・キーの ii - V - I プログレッションでは、V コードは G7 です。G7 コードの 3rd は B 音で、♭9th は B♭音です。3rd から♭9th へ動く方法はたくさんありますが、もっとも分かりやすく簡単な方法は、3rd の音から♭9th の音へ一気に跳ぶ方法です。3rd から上がって♭9th に行く方法と、3rd から下がって♭9th に行く方法があります。以下はその例です。

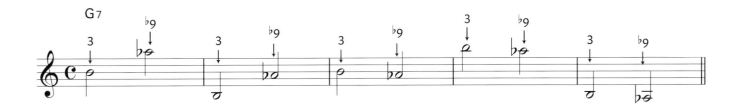

もうひとつの方法は、ドミナント・コードのコード・トーンの 3rd、5th、7th、♭9th を使うか、3rd から始まるディミニッシュ・アルペジオを使う方法です。このアルペジオは必ずしも同じ方向に進む必要はありません。実際にさまざまな方向に進んだ方が効果的です。

♭9th の音はテンションの効いたサウンドを創る音です。半音下がる形で自然に解決しますが、通常このテクニックはドミナント V コードがトニック I コードに動く時（もしくはその少し前）に使われます。

以下のラインは、ii - V - I プログレッションの中でこのテクニックがどう使われるのかを示した例です。♭9th が解決する動きはトニック I コードの 1 または 2 拍前でも起こるところに注意しましょう。

重要なのはこれらのテクニックを 12 のすべてのキーで練習することです。それによって、キーを気にすることなく自由自在にインプロヴァイズできるようになります。

コードのアッパー・ストラクチャー

セカンダリー・アルペジオ

他にビバップ・ミュージシャンが使ったインプロヴィゼイション・テクニックとしては、コードのアッパー・ストラクチャー・アルペジオを使ったものがあります。アッパー・ストラクチャーとはコード・トーンの7thより上にあるコード・トーンを指します。例えば、CMaj7コードは、ルート（C）、メジャー3rd（E）、パーフェクト5th（G）、メジャー7th（B）で成り立っており、これらの音はCメジャー・スケールから導き出されています。そしてCMaj7コードのアッパー・ストラクチャー・コード・トーン（エクステンション）は9th（D）、11th（F）、13th（A）の3音になります。以下は、メジャー・スケールとコードおよびアッパー・ストラクチャーの関係を示した例です。

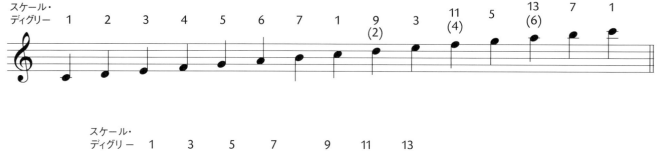

3rdから始まり9thまでの4音アルペジオは、一般的によく使います。以下はDm7コード上でこのテクニックを使った例です。

上の例で使われている最初の4音はFMaj7のコード・トーンと一致することに注目しましょう。アッパー・ストラクチャー・コードは元のコードとは別のコード・サウンドを創り出します。そのため、アッパー・ストラクチャーのアルペジオを総称して、セカンダリー・アルペジオと呼びます。

以下は、基本的な ii - V - I プログレッションにおいて、セカンダリー・アルペジオが使われている例です。

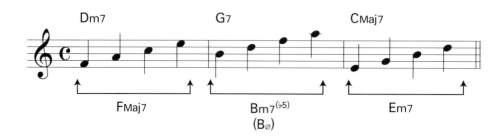

ターゲッティング

よく使われるその他のテクニックに、ターゲッティングと呼ばれるものがあります。ターゲッティングとは、クロマティック・ノートやダイアトニック・スケール・ノートを使ってコード・トーンにアプローチする方法です。まず最初に、半音上がって（または半音下がって）コード・トーンに解決する方法を見てみましょう。以下に例が示してありますが、いずれも CMaj7 コードのコード・トーンに向かっていると意識し続けることが重要です。このテクニックはあらゆるコード（マイナー、ドミナント、ディミニッシュほか）に対して使えるようにしておきましょう。以下の例は、コード・トーンがダウン・ビートにくるようにしてあります。

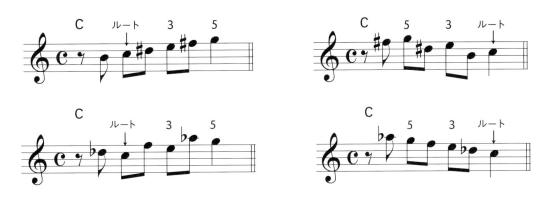

次はエンクロージャー（囲い込み）と呼ばれるタイプのターゲッティングの使い方を学習します。エンクロージャーとは、スケール・ノートまたはクロマティック・ノートを使って、コード・トーンを上下から囲い込む（挟む）ことをいいます。

最初のタイプは、上からスケール・ノート、下からクロマティック・ノートでエンクロージャーするパターンです。

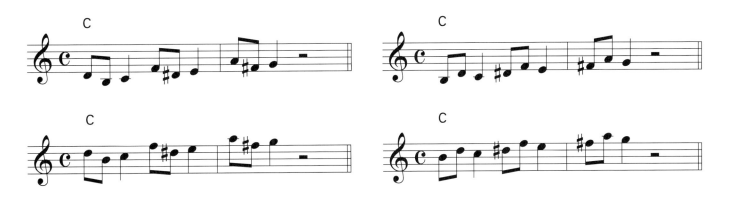

次のタイプは、下からスケール・ノート、上からクロマティック・ノートでエンクロージャーするパターンです。

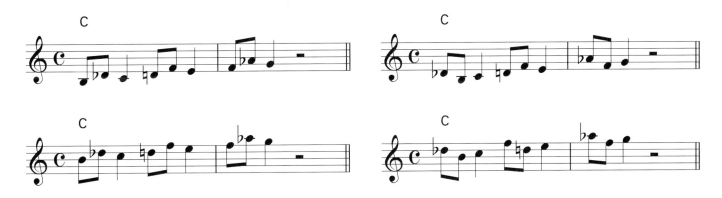

3つの音を使ったエンクロージャーでは、やはりスケール・ノートとクロマティック・ノートを組み合わせてコード・トーンの上下から囲い込むようにアプローチします。以下はCコードのルートに対してアプローチした例です。他のコード・トーンに対してもこのテクニックを使ってみましょう。

スケール・ノートとクロマティック・ノートを組み合わせてコード・トーンにアプローチすることで、インプロヴァイズする時に創ることができるラインはほとんど無限に広がります。このテクニックを使って、オリジナルのラインをたくさん創りましょう。

以下のラインは、ターゲッティング・テクニックをどのように使ったらよいのかを示した1つの例です。

オーグメント・ドミナント

ii - V - I プログレッションの上で演奏する時に、クリフォード・ブラウンはドミナント・コードに対して、オーグメント5th（スケールの5度の音を半音上げる）を使うこともありました。これによってテンション感が増し、♯5thの音が自然にトニックIコードの9thに半音下がって解決します。以下の例を見てみましょう。

クリフォード・ブラウン・スタイル

クリフォード・ブラウンのような、偉大なジャズ・ミュージシャンについて学ぼうとする時には、彼のヴォキャブラリー（音使い）だけではなく、どのように演奏したのかということにしっかり注目することが必要です。１つひとつの音や言語などは、全体を構成する一部分にすぎません。ある音を演奏する時、そのアーティキュレーションやフレージングの使用によっては、音楽全体に与える効果がまったく異なるものになるでしょう。つまり、それが音楽に生命を吹き込むということなのです。

クリフォード・ブラウンはさまざまなテクニックを用いて、表現力豊かな演奏をしていました。従って、彼のスタイルと同化するためには、クリフォード・ブラウンのレコーディングのソロを注意深く聴くことが必須です。

クリフォード・ブラウンのソロは常にとてもスウィングしていました。それはタイムの正確さもありますが、彼のアーティキュレーションやフレージングによるところも大きいといえるでしょう。

クリフォード・ブラウンはクリアで強い、パーカッシブともいえるほどのタンギングやゴースト・ノート（飲み込むような表情の音）を使うことで、フレーズのある音を際立たせたり、ダイナミクスに変化をつけたりします。彼はフレーズの中のハイ・ノートにもアクセントをつけられましたし、アップ・テンポのラインにおける連符でさえタンギングが可能でした。このような並外れたテクニックは、クリフォード・ブラウンのスタイルを象徴するものであり、彼の音楽をよく響くスウィングするものにしています。

クリフォード・ブラウンはさまざまな装飾を使いました。彼が、３連符／グレース・ノート／トリル／ターンなどをどのように使用しているかに注目しましょう。

彼は非常に長い、しかも味わいのあるライン（しばしばいくつものコード・チェンジにまたがる）を創る卓越した能力の持ち主でした。彼は、フレーズの中で自由自在にメロディック・リズム（さまざまな音符、休符を組み合わせて創るリズム）を変化させることで、インプロヴィゼイション全体にインパクトを与えています。下のフレーズを見てみると、その中に４分音符、８分音符、16分音符、３連符のすべてを用いていることがよくわかります。

クリフォード・ブラウンは楽器の音域を広く使用し、それによってラインの中でも広いインターヴァルを演奏していました。1つのフレーズの中で、5度／6度／7度、あるいは1オクターヴというインターヴァルで上下することさえめずらしいことではありません。

クリフォード・ブラウンのスタイルは、リー・モーガン、フレディ・ハバード、ブッカー・リトルなど多くの偉大なジャズ・ミュージシャンにその影響を広く及ぼしています。余裕のある演奏、非のうちどころがない完璧なテクニック、楽器の最低音域から最高音域まで、どの *レジスターでも変わらないクオリティなどは、高度な音楽的才能を象徴しています。

リスニングこそ最善の方法なのです。インスピレーションを得るだけでなく、マスターするべき学習課題の参考のために、音楽を聴いて聴いて聴きまくりましょう。リスニングに代わるものはありません。

次ページ（p.17）から p.47 では、クリフォード・ブラウンのスタイルをマスターするために、1つのラインを選んで練習しましょう。例えば、マイナー・コード・ヴァンプのチャプター（p.20）ではまず、プレイアロング CD の Track 2 に合わせて、表記のキーで練習します。その後にサークル・オブ 4th（4度上行／5度下行）に沿って移調するプレイアロング CD の Track 3 を使って 12 のすべてのキーで演奏できるように練習しましょう。

マイナー・コードのラインとドミナント 7th コードのラインを組み合わせることにより、ii‐Ⅴ‐Ⅰ プログレッションの上で使うことができる膨大な量の組み合わせパターンを創ることができます。メジャーおよびマイナーの ii‐Ⅴ‐Ⅰ プログレッションはジャズにおいてもっともよく出てくるコード進行なので、12 のキーすべてでインプロヴァイズできるようにすることが重要です。また、これらのラインをオクターヴを変えて練習することも必要です。

---

* registar：音域の意。音域に相当するものにレジスター（register）とレンジ（range）があるが、レンジは特定の楽器または声が出し得る音の限界。レジスターはレンジの中の特定の音域を意味する。ただし、これらは混同して用いられることもある。

マイナー・コードのアイディア

すべての譜例は一般的な 4／4 拍子で記譜されています。

18

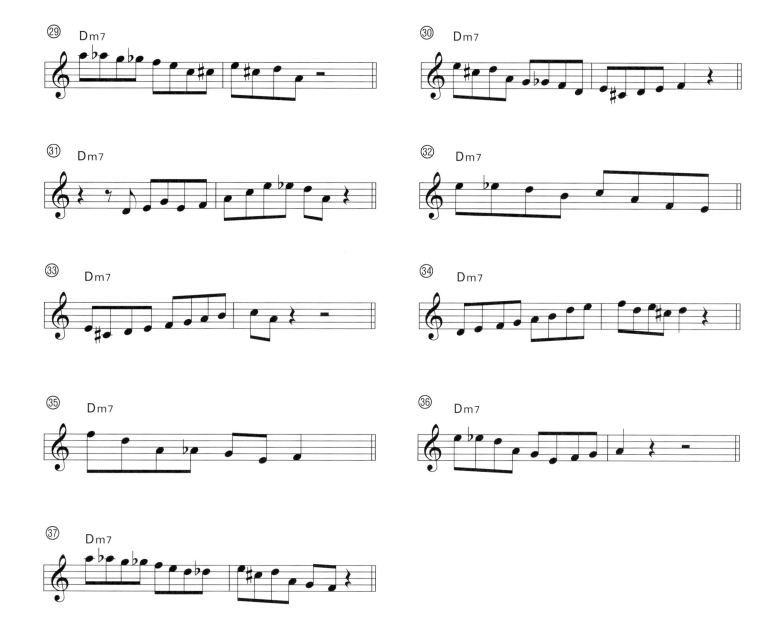

次のハーモニック・ヴァンプを使って、これまでに学習したマイナー 7th コードのラインをプレイアロング CD に合わせて練習しましょう。

マイナー・コード・ヴァンプ

Track 3 のリズム・トラックを使って、サークル・オブ 4th に沿って移調する練習をしましょう。この練習は、ラインを 12 のキーすべてで確実に習得できます。

４度で移動するマイナー・コードのラインの練習

ドミナント 7th コード（V）のアイディア

すべての譜例は一般的な 4/4 拍子で記譜されています。

24

次のハーモニック・ヴァンプを使って、これまでに学習したドミナント 7th コードのラインをプレイアロング CD に合わせて
練習しましょう。

ドミナント **7th** ヴァンプ

Track 5 のリズム・トラックを使って、サークル・オブ 4th に沿って移調する練習をしましょう。この練習は、ラインを 12 の
キーすべてで確実に習得できます。

４度で移動するドミナント **7th** コードのラインの練習

1小節のii-V（ショートii-V）のアイディア

すべての譜例は一般的な 4/4 拍子で記譜されています。

26

初めの2拍のモティーフが半音下行するシークエンス

次のハーモニック・ヴァンプを使って、これまでに学習した1小節のii - V（ショートii - V）のラインをプレイアロングCDに合わせて練習しましょう。

ショート ii-V ヴァンプ

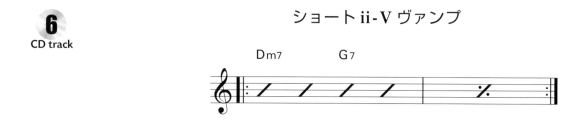

Track 7のリズム・トラックを使って、サークル・オブ4thに沿って移調する練習をしましょう。この練習は、ラインを12のキーすべてで確実に習得できます。

4度で移動するショート ii-V のラインの練習

2 小節の ii-V（ロング ii-V）のアイディア

すべての譜例は一般的な 4／4 拍子で記譜されています。

32

次のハーモニック・ヴァンプを使って、これまでに学習した2小節の ii‐V（ロング ii‐V）のラインをプレイアロング CD に合わせて練習しましょう。

ロング ii‐V ヴァンプ

Track 9 のリズム・トラックを使って、サークル・オブ 4th に沿って移調する練習をしましょう。この練習は、ラインを 12 のキーすべてで確実に習得できます。

4度で移動するロング ii‐V のラインの練習

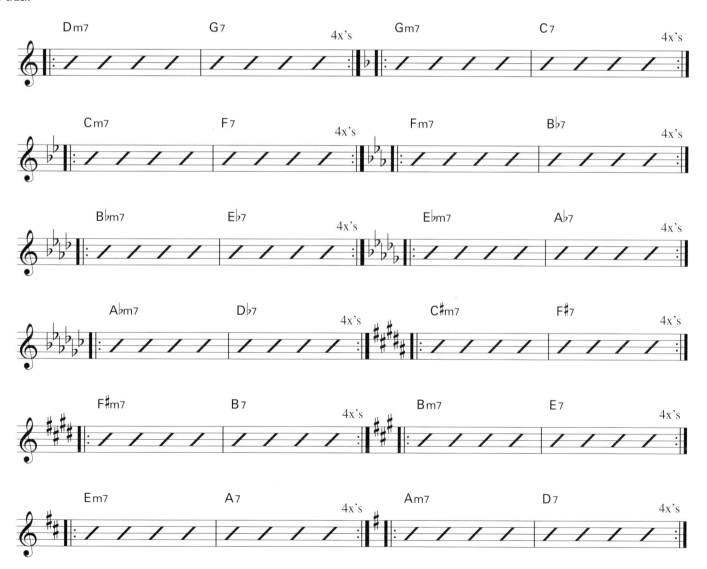

メジャー・コード(I)のアイディア

すべての譜例は一般的な 4 / 4 拍子で記譜されています。

36

次のハーモニック・ヴァンプを使って、これまでに学習したメジャー・コードのラインをプレイアロング CD に合わせて練習しましょう。

メジャー・ヴァンプ

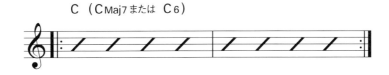

Track 11 のリズム・トラックを使って、サークル・オブ 4th に沿って移調する練習をしましょう。この練習は、ラインを 12 のキーすべてで確実に習得できます。

4度で移動するメジャー・コードのラインの練習

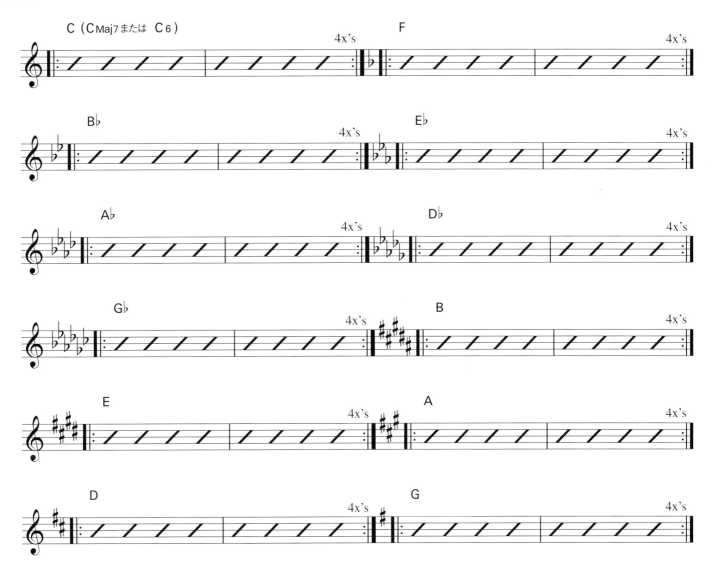

マイナー ii-V のアイディア

すべての譜例は一般的な 4/4 拍子で記譜されています。

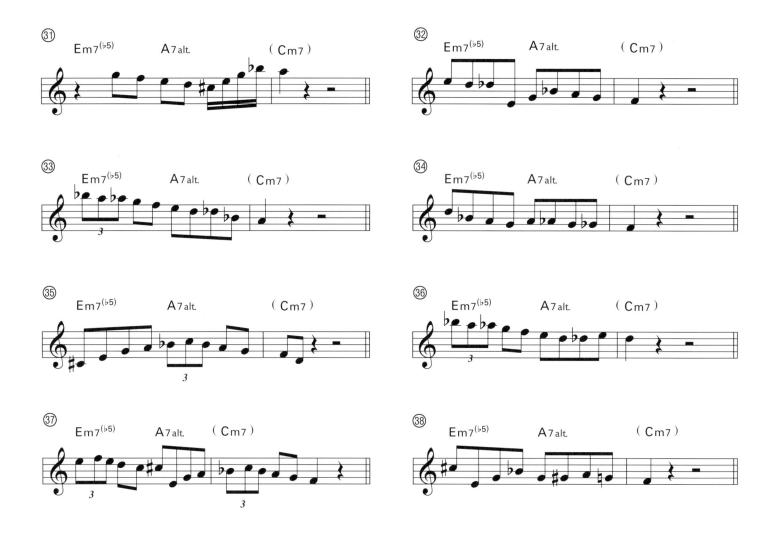

2小節のマイナー ii - V プログレッション（ロング ii - V）に関しては、2つのショート・マイナー ii - V のラインをくり返しても、
各コードのアイディアを延ばしてもよいでしょう。

次のハーモニック・ヴァンプを使って、これまでに学習したマイナー ii - V のラインをプレイアロング CD に合わせて練習しましょう。

マイナー ii-V ヴァンプ

Track 13 のリズム・トラックを使って、サークル・オブ 4th に沿って移調する練習をしましょう。この練習は、ラインを 12 のキーすべてで確実に習得できます。

4 度で移動するマイナー ii-V のラインの練習

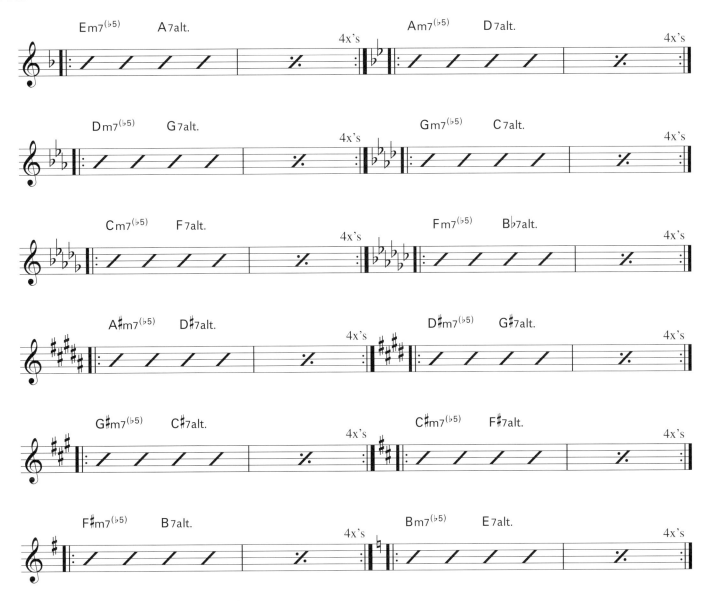

プレイアロングCDの伴奏を使って、メジャーとマイナーのii-V-Iプログレッション上でパターンを組み合わせる練習をしましょう。各コードに対するフレーズ・パターンには、マイナー・コード、ドミナント7thコード、ショートii-V、ロングii-V、メジャー・コードのそれぞれのチャプターで学んだラインを使いましょう。さまざまなコンビネーションを創る可能性は無限にあります。

ロング ii - V - I ヴァンプ

４度で移動するロング ii - V - I のラインの練習

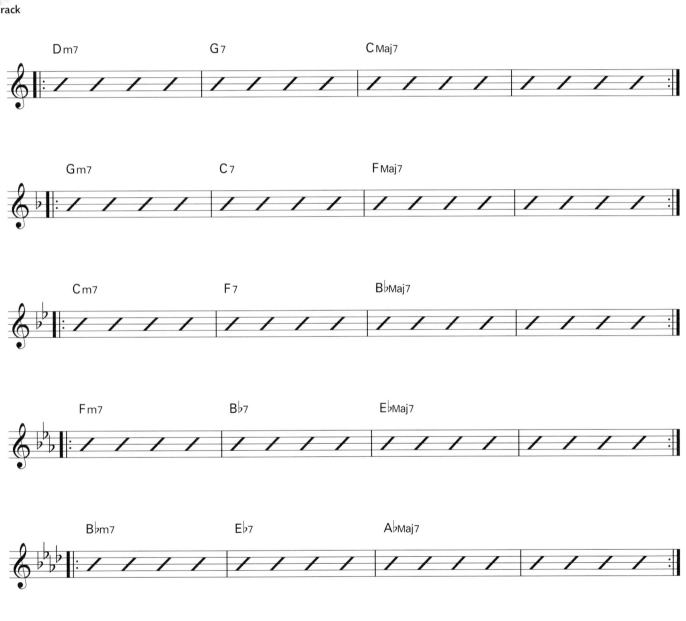

44

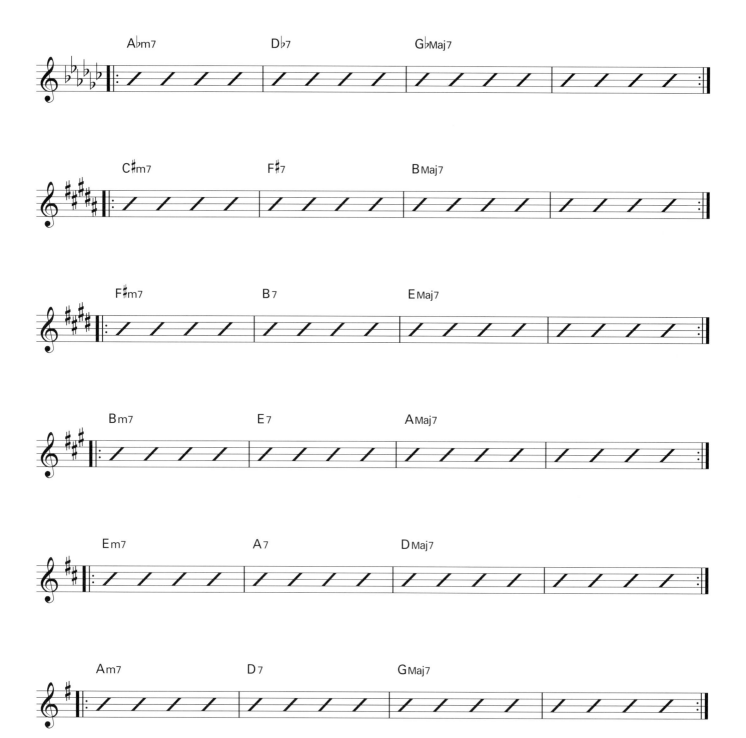

マイナー ii - V - i ヴァンプ

４度で移動するマイナー ii - V - i のラインの練習

ターンアラウンド

ジャズにおける一般的なターンアラウンドには、マイナー ii - V からメジャー ii - V へ進むコード・プログレッションがあります。メジャー ii - V はトニック・メジャー・コードに解決します。ターンアラウンドは、そのトニック・コードに解決する小節の2小節前から始まります。多くの曲がトニックから始まるために、そのトニックへ進むためのターンアラウンドは曲の最後の2小節に見ることができる場合が多いのです。

以下のプログレッションは、Em7(♭5)，A7alt.，Dm7，G7コードが C キーでのターンアラウンドを形作っています。マイナー ii - V 上で使えるラインと、メジャー ii - V のラインを組み合わせることによって、ターンアラウンドの上で使えるラインを簡単に創ることができます。以下の例は、メジャーとマイナーの ii - V ラインをどのように組み合わせてインプロヴァイズするのかを提示したものです。

以下のターンアラウンドに合わせてマイナーとメジャーの ii - V ラインを組み合わせる練習をしましょう。以下のターンアラ
ウンドはプレイアロング CD に収録されています。

ターンアラウンド・ヴァンプ

4 度で移動するターンアラウンドのラインの練習

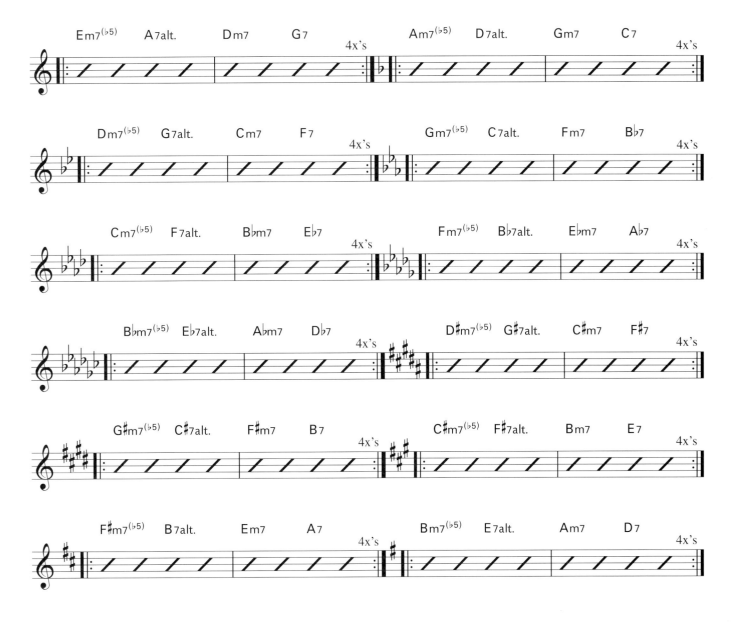

48

ソロを創る

以下のエチュードでは、本書に出てきたラインやそのバリエーションによるアイディアを、実際のソロでどのように組み合わせて使えればいいかを示しています。ソロを創る場合、まず各アイディアから１つか２つラインを選んで練習しましょう。それがマスターできたら次のラインを練習します。ソロの中で１つのラインから次のラインへと音楽的かつ自然に流れるようにするためには、各ラインを微調整する必要があるでしょう。そのために、本書に出てきた各種のテクニック（3rdから♭9th、セカンダリー・アルペジオ、ターゲッテングなど）を使って、異なるライン同士を連結させます。ソロを組み立てるために、このような練習をすることは、クリフォード・ブラウンのスタイルを学ぶ上で非常に有効です。

Track 22 と 24 は、トランペットによる模範演奏、Track 23 と 25 は伴奏トラックです。

22 23 CD track CD track　Pent Up House タイプのプログレッションを使用したエチュード

Track 26 と 27 を使って、本書で学んだメロディック・アイディアをつなげる練習をしましょう。また、本書で学んだコンセプトやアイディアを使う練習もしましょう。

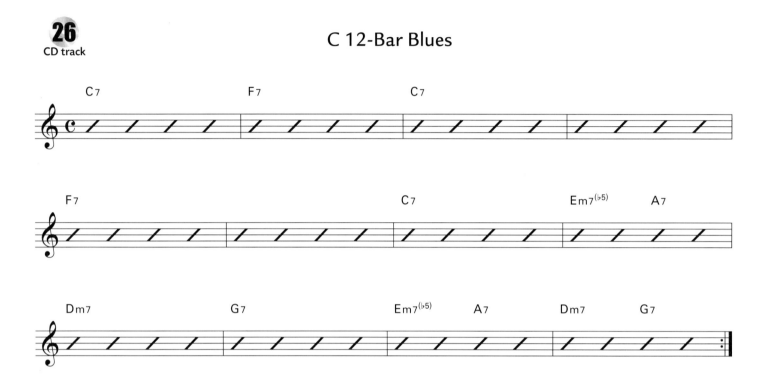

C 12-Bar Blues

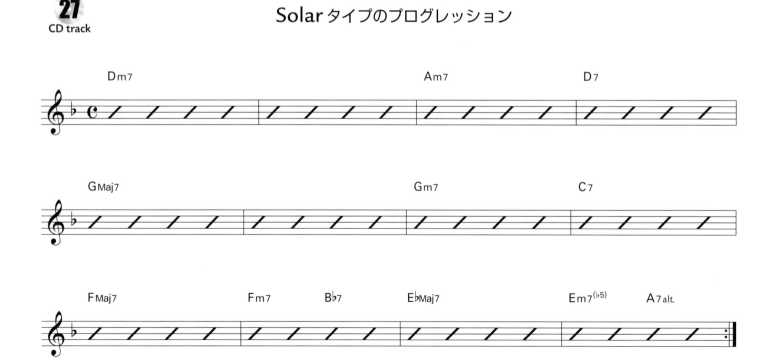

Solar タイプのプログレッション

ディスコグラフィー

演奏者	アルバム・タイトル	レーベル
クリフォード・ブラウン&マックス・ローチ	Study In Brown	EmArcy
クリフォード・ブラウン&マックス・ローチ	More Study In Brown	EmArcy
クリフォード・ブラウン&マックス・ローチ	At Basin Street	EmArcy
クリフォード・ブラウン&マックス・ローチ	Incorporated	EmArcy
クリフォード・ブラウン	With Strings	PolyGram
クリフォード・ブラウン	Brownie Eyes	Blue Note
クリフォード・ブラウン	Daahoud	Mainstream Records
クリフォード・ブラウン・セクステット	Cliford Brown Sextet and Art Farmer and The Swedish All Stars	Blue Note
クリフォード・ブラウン・カルテット	In Paris	Prestige
クリフォード・ブラウン	The Complete Paris Sessions Vol 1	Vogue
クリフォード・ブラウン	The Complete Paris Sessions Vol 2	Vogue
クリフォード・ブラウン	The Complete Paris Sessions Vol 3	Vogue
クリフォード・ブラウン	Clifford Brown and Art Farmer	Prestige
クリフォード・ブラウン&マックス・ローチ	Brownie Lives! Live at Basin Street and In Concert at Carnegie Hall	Fresh Sound Records
クリフォード・ブラウン	The Beginning and the End	Columbia Jazz Masterpieces
クリフォード・ブラウン&ルー・ドナルドソン	New Faces	Blue Note
クリフォード・ブラウン&J・J・ジョンソン	Jay Jay Johnson Sextet	Blue Note
クリフォード・ブラウン&タッド・ダメロン	A Study in Dameronia	Prestige
アート・ブレイキー・クィンテット	A Night At Birdland Vol 1	Blue Note
アート・ブレイキー・クィンテット	A Night At Birdland Vol 2	Blue Note
ソニー・ロリンズ	Plus Four	Prestige
クリフォード・ブラウン	Clifford Brown Memorial Album, 1953	Blue Note
クリフォード・ブラウン	Clifford Brown Memorial Album, 1953	Prestige
クリフォード・ブラウン&マックス・ローチ	Best of Max Roach and Clifford Brown in Concert	GNP Crescendo
クリフォード・ブラウン	Brownie: The Complete Clifford Brown on EmArcy	EmArcy
クリフォード・ブラウン	The Complete Blue Note-Pacific Jazz Recordings	Pacific

おわりに

私たちが本書で目指したことは、プレイヤーがクリフォード・ブラウン・スタイルのヴォキャブラリーを身につけるための練習材料を提供することです。本書に譜例として提示されていたラインと同じコンセプトで、オリジナルのラインを創りましょう。

あなたが本書を楽しんでくれたことを願っています。これは、すばらしい音楽のヴォキャブラリーを習得するためのひとつの方法にすぎません。ジャズ・ミュージシャンの学習プロセスは終わりのない旅であり、私たちはインスピレーションを得るために常に歴代の偉大なプレイヤーを研究します。今の時代は豊富な情報がどこでも手に入り、たくさんのジャズ・インプロヴィゼイションに関する良い本もあります。しかし、ただ1つもっとも重要なことは、学ぶ方法は今も1920年代のジャズ・ミュージシャンも同じで音楽を聴くということにあるのです。偉大なプレイヤーのアルバムを聴いて聴いて聴きまくることです。そして、あなたが見に行ける場所(近くのジャズ・クラブなど)に出かけて行き、いろいろなジャズ・プレイヤーの演奏を聴きましょう。

音楽とあなたの大いなる好奇心を楽しみましょう。

Corey and Kim

著者について

Corey Christiansen

5歳でギターを始め、父親の *Mike Christiansen*（パフォーマー、ライター、ユタ州立大学の教授）について同大学を卒業するまでギターを学ぶ。同大学在学中に、Outstanding Music Student Award, Outstanding Guitrist Award など多くの賞に輝く。The Lionel Hampton Jazz Festival においては、Outstanding Big Band Guitarist を 1995 年に、Outstanding Solo Guitarist を 1995 年および 96 年にそれぞれ受賞。

ジャズ・パフォーマンスの修士課程を学んでいた *Corey* は、著名なジャズ・ギターの教育家である *Jack Petersen* に師事するため南フロリダ大学に移り、指導助手としての勉強を始める。その後 1999 年にジャズ・パフォーマンスの修士課程を終了。同年退官した *Jack Petersen* の後を継ぐかたちで *Corey* はギター・インストラクターとなる。同大学で教えていた間、多くの生徒たちと演奏したり生徒たちによるグループを率いた。

2000 〜 07 年まで *Corey Christiansen* は Mel Bay 出版社の主任編集者として活動後、ユタ州立大学ギター科の教授として指導にあたっている。さまざまに異なる音楽における演奏からも分かるように、*Corey* の音楽的なバックグラウンドは、ジャズ、ブルース、クラシック、ブルーグラス、フォーク、ロック、ポピュラー・ミュージックなどを幅広くカバーする。

Kim Bock

デンマーク生まれ、ヨーロッパで広く演奏活動をした後 1994 年にアメリカへ渡る。合衆国内、ヨーロッパ、トルコ、南アフリカなどをツアーした後、2000年よりニューヨーク在住。

Kim は 1996 年にバークリー音楽大学を卒業した後、1998 年には南フロリダ大学で修士課程を終了。

2001 〜 03 年にはトランペットの巨人 *Maynard Ferguson* が率いる Big Bop Nouveau Band のフィーチャリング・テナー・サックス・プレイヤーとして全米ツアーなどでも活躍。彼自身のグループを率いて、ニューヨーク近郊でも活動している。

Kim はこれまでに、Greenwich Blue, Dan McMillian Big Band, George Carroll, Bombed Out Cat, Sanlikol Group, Larry Camp, The Mars All-Star Big Band, Kenny Soderblom／Jack Peterson Big Band, Bill Evans Orchestra, Atlantic Wave Band などへ参加している。

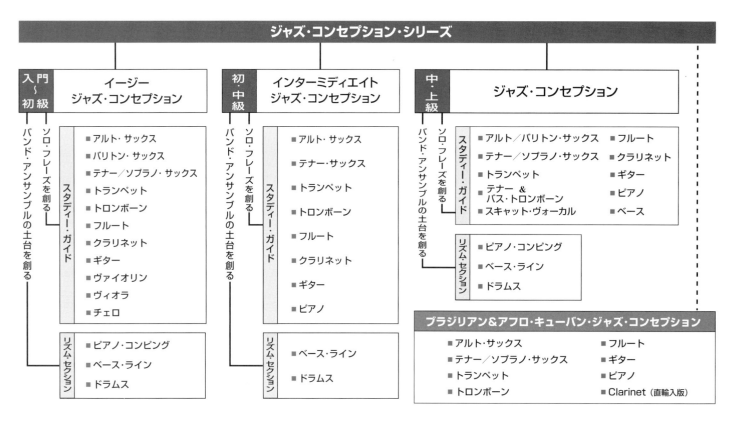

ジャズ・コンセプション・シリーズ

入門～初級	イージー ジャズ・コンセプション

バンド・アンサンブルの土台を創る / ソロ・フレーズを創る

スタディー・ガイド
- ■ アルト・サックス
- ■ バリトン・サックス
- ■ テナー／ソプラノ・サックス
- ■ トランペット
- ■ トロンボーン
- ■ フルート
- ■ クラリネット
- ■ ギター
- ■ ヴァイオリン
- ■ ヴィオラ
- ■ チェロ

リズム・セクション
- ■ ピアノ・コンピング
- ■ ベース・ライン
- ■ ドラムス

初・中級	インターミディエイト ジャズ・コンセプション

バンド・アンサンブルの土台を創る / ソロ・フレーズを創る

スタディー・ガイド
- ■ アルト・サックス
- ■ テナー・サックス
- ■ トランペット
- ■ トロンボーン
- ■ フルート
- ■ クラリネット
- ■ ギター
- ■ ピアノ

リズム・セクション
- ■ ベース・ライン
- ■ ドラムス

中・上級	ジャズ・コンセプション

バンド・アンサンブルの土台を創る / ソロ・フレーズを創る

スタディー・ガイド
- ■ アルト／バリトン・サックス
- ■ テナー／ソプラノ・サックス
- ■ トランペット
- ■ テナー ＆ バス・トロンボーン
- ■ スキャット・ヴォーカル
- ■ フルート
- ■ クラリネット
- ■ ギター
- ■ ピアノ
- ■ ベース

リズム・セクション
- ■ ピアノ・コンピング
- ■ ベース・ライン
- ■ ドラムス

ブラジリアン＆アフロ・キューバン・ジャズ・コンセプション
- ■ アルト・サックス
- ■ テナー／ソプラノ・サックス
- ■ トランペット
- ■ トロンボーン
- ■ フルート
- ■ ギター
- ■ ピアノ
- ■ Clarinet（直輸入版）

有名なジャズ・チューンのコード進行にオリジナル・メロディをつけた教材シリーズで、ジャズ・スタイルとインプロヴィゼイション（即興演奏）の基本を学ぶことを目的としています。テンポや音数の多さにより**3段階のグレード別**シリーズがあり、それぞれ楽器別になっており、**各楽器に合わせた移調譜**を掲載しています。

さらに、著名なミュージシャンによる模範演奏を収録したCDを付属。リズム・セクションにも、ニューヨークを拠点として世界中で活躍しているミュージシャンを起用しています。付属CDの**一流プレイヤーの疑似バンドとセッション**しながら、楽しく練習できます。

「ジャズを演奏したことがないけれど興味がある」「今よりもっとジャズらしいアドリブができるようになりたい」と感じているプレイヤーにおすすめします。楽譜を読んで模範演奏を真似するだけでなく、楽譜を見ずにCDを聴いてトランスクライブ（採譜）の練習をすれば、**イヤートレーニング**教材としても活躍します。

イージー・ジャズ・コンセプション　トランペット

Jim Snidero（ジム・スナイデロ）著
Ryan Kisor（ライアン・カイザー）演奏　　　　　《模範演奏＆プレイ・アロングCD付》

8分音符中心のエチュードでジャズ特有のグルーヴを学ぶ

3つのジャズ・コンセプション・シリーズ中で最もやさしいレベルで、ほとんどの曲は8分音符を中心に創られています。エチュードの難易度が高くない反面、ジャズ特有のグルーヴや演奏上のアーティキュレーションで表現することが重要となります。模範演奏とプレイ・アロング（マイナスワン）が別トラックに収録されたCDが付属しています。細部までCDをよく聴き込んで、タイム・フィール，ダイナミクス，表情や音色まで真似することが上達への近道です。

soloist *Ryan Kisor*

定価［本体3,000円＋税］

インターミディエイト・ジャズ・コンセプション／スタディー・ガイド
トランペット

《模範演奏＆プレイ・アロングCD付》

Jim Snidero（ジム・スナイデロ）著
Jim Rotondi（ジム・ロトンディ）演奏

「演奏がジャズらしくならない」と悩む人へ　中級レベルへのステップアップ

イージー・ジャズ・コンセプション・シリーズからのステップアップに対応。スタンダード，モーダル・チューン，ブルースなどを基にした15曲のエチュードを掲載。巻末には、スタイルとインプロヴィゼイションに焦点をあてたAppendix，スケールの概要，インプロヴィゼイションの学習に役立つ95種類ものラインとアイディアを紹介しています。模範演奏とプレイ・アロング（マイナスワン）が別トラックに収録されたCDが付属しています。

soloist　*Jim Rotondi*

定価［本体3,300円＋税］

本格的ジャズ・エチュードの定番
ジャズ・コンセプション／スタディー・ガイド　トランペット

Jim Snidero（ジム・スナイデロ）著
Joe Magnarelli（ジョー・マグナレリ）演奏　　　　　　《模範演奏＆プレイ・アロング2CD付》

soloist *Joe Magnarelli*

定価［本体3,000円＋税］

王道のエチュード＆マイナスワン教材　中・上級編

セッションなどで演奏する機会が多い有名スタンダード曲やブルースなど、定番のコード進行／曲の形式を基にした、エチュードを全21曲掲載。各エチュードの前には**学習のポイント、練習のコツ**などを簡潔にまとめています。エチュードを演奏する前に必ず読んでから練習を始めましょう。また、B♭楽器用に移調した楽譜中にはフレーズの解説、スケールやコードの適用例、アドバイスなどが記載されています。

リズム・フィギュアを読むジャズ・エチュード
リーディング・キー・ジャズ・リズム　トランペット

Fred Lipsius（フレッド・リプシャス）著
Ramon Ricker（ラーモン・リッカー）演奏　　　　　　《模範演奏＆プレイ・アロングCD付》

soloist *Lew Soloff*

定価［本体3,000円＋税］

やさしいリズム練習と本格エチュードで
ジャズ・ソロの基本を段階的にマスターする

ジャズ定番のメロディック・リズムをテーマにした23曲と応用編の1曲、全24曲の練習を進めると、ジャズらしいリズミックなオリジナル・ソロを創れるようになります。各曲は、**エチュード**と難易度を下げた**ガイドトーンを使ったリズム練習**の2種類の楽譜を掲載しています。**ガイドトーンを使ったリズム練習**はコードの種類やサウンドを決定する重要な音のみを使っているので、学習者のレベルに合わせて、無理のない練習が可能です。付属CDには**エチュード**の模範演奏とプレイ・アロング（マイナスワン）トラックが収録されています。初級～中級プレイヤーにおすすめです。

耳を使ってジャズの基本をプレイする
ブルース・エチュード　トランペット

Fred Lipsius（フレッド・リプシアス）著
Christine Fawson（クリスティン・フォーソン）演奏　　　《模範演奏＆プレイ・アロングCD付》

soloist *Christine Fawson*

定価［本体3,000円＋税］

さまざまなスタイルやテンポのブルース進行で
ブルースならではのフレージングを練習する

12曲のエチュードはすべてブルース・プログレッション（進行）に基づいており、比較的簡単なキー、さまざまなリズム・スタイル、ゆったりしたミディアム以下のテンポで、幅広い層のプレイヤーが楽しく演奏できるような構成になっています。中級レベルのプレイヤーには初見での譜読み練習にも最適な内容で、ジャズ・ソロイングとは、どのようなものかを学ぶために最適なツールとなっています。本書に掲載されているフレーズやフレージングをマスターすれば、ブルース以外のジャズ・フォームにおいても音楽的ボキャブラリーとして役に立ちます。

セクション・リーダーの役割を学ぶ
ビッグバンド・マスター　リード・トランペット

Brian Shaw（ブライアン・ショウ）著　　　　　　　　《模範演奏＆プレイ・アロングCD付》

定価［本体3,000円＋税］

ジャズ・コンセプション・シリーズのビッグバンド版

ビッグバンドにおけるリード・トランペットは、セクションのみならずバンド全体に大きな影響を与える重要なポジションで、演奏の説得力や優れた音楽的解釈などが総合的に要求されます。本書は基本的にはリード・プレイヤーならではの奏法を学ぶシリーズですが、セクション・プレイをしてみたいプレイヤーにもおすすめします。掲載されている練習曲は「ジャズ・コンセプション・シリーズ」（レベル別／楽器別）などから抜粋したエチュードをビッグバンド用に編曲したものです。

エッセンシャル・ジャズ・ラインの探究シリーズ

ジャズ・マスターのラインとスタイルを学ぶ　プレイ・アロングCD付

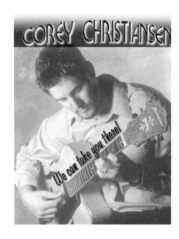

本シリーズは、ジャズ・マスターたちの個性的なラインと主なアプローチを探究し、あなたのラインをさらに発展させるための実践的なプレイ・アロングCD付の教則本です。著者Corey Christiansen(コーリー・クリスチャンセン)とリズム・セクションによるバック・グラウンドのプレイ・アロングCDは、12のすべてのキーで練習できるように創られています(ラインの模範演奏は収録されていません)。

チャーリー・パーカー・スタイルの探究　B♭《CD付》定価 [本体2,000円+税] 他：**E♭, C, Bass Clef, ギター**

ジョン・コルトレーン・スタイルの探究　B♭《CD付》定価 [本体2,200円+税] 他：**E♭, C, Bass Clef, ギター**

キャノンボール・アダレイ・スタイルの探究　B♭《CD付》定価 [本体2,000円+税] 他：**E♭, C, Bass Clef, ギター**

クリフォード・ブラウン・スタイルの探究　B♭(トランペット)《CD付》定価 [本体2,200円+税] 他：**E♭, C, Bass Clef, ギター**

マイルス・デイヴィス・スタイルの探究　トランペット《CD付》定価 [本体2,200円+税] 他：**ギター**

監 修：佐藤 研司 *Sato Kenji*
サックス・プレイヤー、コンポーザー、アレンジャー

バークリー音楽大学にてジョー・ヴィオラ、ジョージ・ガゾーンらに師事した後、ジョージ・ラッセルのもとに学び、リディアン・クロマティック・コンセプトの公認講師資格を得る。1998年に帰国以来、さまざまなシーンでパフォーマー、音楽講師として活動中。トラディションは大事にするが、ジャンルを問わない自然派アーティストを目指し、自作楽器での演奏なども行う。また、ATNの海外教則本、DVDなどの翻訳/監修を担当。

ATN, inc.

エッセンシャル・ジャズ・ライン
クリフォード・ブラウン・スタイルの探究
B♭(トランペット)

3521-2

発 行 日	2004年12月10日(初 版)
	2018年 9月20日(第1版2刷)
著　者	Corey Christiansen and Kim Bock
翻　訳	佐藤 研司
発行・発売	株式会社 エー・ティー・エヌ
	© 2004 by ATN,inc.
住　所	〒161-0033
	東京都新宿区下落合 3-12-21 目白エミネンス102
	TEL 03-6908-3692　FAX 03-6908-3694
ホームページ	http://www.atn-inc.jp

*万一、乱丁・落丁がありました時は、当社にてお取り換えいたします。© 無断複製・転載を禁じます。

ISBN978-4-7549-3521-4